Merci à tous ceux qui ont retourné nos appels, à ceux qui nous ont soutenus, à ceux qui ont cru en ce projet et à ceux qui y ont contribué de quelque façon que ce fût. Si nous sommes en mesure de vous offrir cette bande dessinée, c'est en grande partie grâce aux annonceurs qui figurent à l'intérieur du livre, et nous vous encourageons à les visiter. Nous souhaitons de tout cœur que cet ouvrage devienne un outil de promotion pour cette magnifique région que tous gagnent à découvrir et à redécouvrir.

À tous ceux que j'aime, qui m'ont tant donné et à tous ceux que je hais, qui m'ont tant appris.

— Jean-François

Je dédie cet album à tous ceux et celles qui croient en nous et nous ont encouragés tout au long des durs mois de la conception, et ce, même si nos relations s'en trouvent négligées. Également, aux Saguenéens et aux Jeannois pour leur accueil légendaire.

— Hugues

Les auteurs désirent remercier particulièrement :

Hélène Arseneault, Yves Arseneau, Patrick Bérard, Yvan Daneault, Amabilis Deveau, Amella Deveau, Antonia Devost, Fernand Deveau, Marc Fortier, Jean-Guy Gaudet, Françoise Gauthier, Frédérique Pelletier-Lamoureux, Louise Gélinas, Dany Girard, Alain Hardy, Thanh An Hoang, Élisabeth Jomphe, John Lapierre, Nicole Lebel, Karo Michaud, Tsz Yan Ng, Josée Poirier, Lise Poirier, Henri-Paul Poirier, Valérie Poirier et Micheline Rouleau.

Pour leur contribution au projet, l'équipe du Vent Qui Vente désire remercier spécialement :

Ministère du Tourisme Québec

www.caaquebec.com

Litho
Mille~Îles Ltée
355, rue GEORGES VI,
TERREBONNE (QUÉBEC)
J6Y 1N9
Tél: (450) 621-4856
Fax: (450) 621-6820

© Avec permission, illustration de la page couverture inspirée d'une photographie de Marco Weber photographe/ TVA PUBLICATIONS

AVIS: Vous aurez sans doute remarqué que l'album de Théophile possède deux pages couverture. L'une pour le Saguenay et l'autre pour le Lac-Saint-Jean. Par respect pour ces deux entités qui, nous en sommes certains, s'aiment et s'apprécient, nous avons voulu éviter d'en favoriser une au détriment de l'autre. Ainsi, vous pouvez avoir entre les mains, soit une copie du Saguenay en couverture, soit une copie avec le Lac-Saint-Jean en couverture. Le reste de l'album est strictement identique, il n'y a que le sens des pages à l'intérieur qui diffère selon le lieu de l'achat.

Dépôt légal : juin 2004
2e édition : juin 2006
Bibliothèque nationale du Québec
Bibliothèque nationale du Canada
ISBN 978-2-9808043-1-1
Imprimé au Québec par Litho Mille-Îles
Tous droits réservés
555, chemin Jean-Guy
Cap-aux-Meules (Québec)
G4T 1H6
www.leventquivente.com

ISBN 2-9808043-1-2

9 782980 804311

© Le Vent qui Vente 2004. La présente œuvre est une œuvre originale protégée en vertu de la Loi sur le droit d'auteur L.R. 1985 c. C-42. La reproduction en tout ou en partie de la présente œuvre est formellement interdite sans l'autorisation préalable écrite des auteurs, sous peine de tous les recours prévus par la loi.

JEAN-FRANÇOIS GAUDET ET HUGUES POIRIER

PRÉSENTENT

LES AVENTURES DE

2e édition

TEXTE DE JEAN-FRANÇOIS GAUDET
DESSINS DE HUGUES POIRIER

PRODUCTION

COMMUNICATIONS

Qui sème le vent, récolte.

www.leventquivente.com

LA CRÉATION

Après une journée de durs labeurs, alors que la brunante se présentait doucettement, le Créateur fit une pause ô combien méritée. En regardant ce qu'Il venait de créer, un grand sentiment de plénitude traversa Son âme puis, la divisa. Sur Son tableau, on retrouvait deux entités complètement distinctes mais néanmoins inséparables. Il se questionna longuement sur ce paradoxe : comment avait-Il pu produire quelque chose d'aussi différent et complémentaire à la fois? Après mûre réflexion, Il opina d'un sourire triomphant.

Ces deux territoires, qu'Il qualifiait Lui-même de royaume*, Lui paraissaient comme l'endroit parfait pour aménager un espace de rêves et de beautés, un coin de pays où Il pourrait déposer toutes les richesses essentielles à Ses yeux. C'est en chérissant ce monde magnifique, que l'on nomme aujourd'hui le Saguenay-Lac-Saint-Jean, qu'une pensée traversa Son esprit.

Dès lors, Il alla chercher Théophile Tremblay, Son fidèle compagnon qu'Il trouvait particulièrement d'adon*. Il lui dit d'un ton serein: « Fils, voici notre Royaume. En le parcourant, tu y découvriras tout ce qu'un homme peut espérer. Les forêts et les étendues d'eau y sont magnifiques, les filles par milliers y sont belles comme des anges, même les bleuets sauront t'impressionner. Vas-y et partage cet endroit avec les tiens. Ainsi, il t'apportera en abondance amour, joie et bonheur. »

Depuis ce jour, des centaines de milliers de Saguenéens et de Jeannois se sont joints à Théophile pour explorer, bâtir, protéger et partager ce petit coup de cœur du Créateur – si bien qu'une magie s'est curieusement installée parmi la population. Le visiteur qui prête attention constatera que l'éclat des beautés qui composent la région se retrouve également dans le regard de chacun de ses habitants; comme si le simple fait d'y vivre donnait accès à une source de splendeur universelle.

* Voir glossaire à la fin du livre, pour ce mot et tous ceux qui figurent en gras dans le texte.

ALORS QUE LA CLOCHE DE L'USINE ANNONCE LA FIN D'UNE AUTRE SEMAINE POUR LES TRAVAILLEURS, CETTE MÊME CLOCHE A UNE TOUTE AUTRE SIGNIFICATION POUR THÉOPHILE TREMBLAY. APRÈS 35 ANS DE BONS ET LOYAUX SERVICES, C'EST L'HEURE DE LA RETRAITE QUI VIENT DE SONNER.

SACRÉ TANCRÈDE! TU SAIS QUE JE VAIS PRESQUE M'ENNUYER DE TOI.

SI MON FRÈRE THÉOPHILE PENSE SE DÉBARRASSER DE TANCRÈDE PARCE QU'IL PART EN RETRAITE, IL SE TROMPE. VIENS, DEHORS T'ATTEND UN CADEAU.

ALORS, CHER THÉOPHILE, POUR SOULIGNER TON DÉPART, C'EST AVEC GRANDE ÉMOTION QUE LES GARS DE LA DIVISION ONT PASSÉ LE CHAPEAU POUR T'OFFRIR...

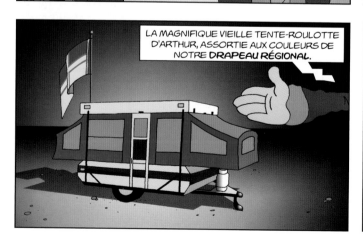

LA MAGNIFIQUE VIEILLE TENTE-ROULOTTE D'ARTHUR, ASSORTIE AUX COULEURS DE NOTRE **DRAPEAU RÉGIONAL**.

BEN LÀ, VOUS ALLEZ M'ÉMOUVOIR VOUS AUTRES!

CELA FAIT PLAISIR À MON COEUR DE VOIR SOURIRE SUR TON VISAGE. ALLONS FÊTER DÉPART DE MON FRÈRE.

QUELQUES MINUTES PLUS TARD.

TU SAIS, LA DERNIÈRE FOIS QUE JE SUIS SORTI DE JONQUIÈRE, J'ME SUIS RETROUVÉ *LÀ OÙ SE TERMINE L'EAU PROFONDE*, CHEZ LES *TIREUX DE ROCHES*. C'EST LÀ QUE J'AI RENCONTRÉ JOSÉPHINE...

MAINTENANT, GRÂCE À TIPI ROULANT, THÉOPHILE DOIT VENIR VOIR TANCRÈDE PENDANT VACANCES D'ÉTÉ!

IMAGINE, DEUX MOIS PLUS TARD, J'ÉTAIS MARIÉ. LAISSE-MOI TE DIRE QUE JE NE SUIS PLUS JAMAIS SORTI DE JONQUIÈRE APRÈS.

HA HA HA!

MAIS *C'EST PAS DIT QUE J'IRAI PAS* FAIRE UNE PETITE VISITE À POINTE-BLEUE. DEPUIS LE TEMPS QUE TU ME PARLES DE TA RÉSERVE...

À TOUT SEIGNEUR TOUT HONNEUR, LE NOUVEAU RETRAITÉ A DROIT DE PAROLE.

UN DISCOURS! UN DISCOURS!

CHERS AMIS, JE ME DOIS DE VOUS REMERCIER POUR LES NOMBREUSES HEURES PASSÉES EN VOTRE COMPAGNIE. EN 35 ANS, J'AI VU PASSER BEAUCOUP DE MONDE. UN JOUR, J'AI MÊME VU PASSER *ALEXIS LE TROTTEUR*, MAIS IL A PASSÉ VITE EN *BOSWELL*!

J'AIMERAIS, TOUT D'ABORD, REMERCIER ARTHUR POUR LE MAGNIFIQUE CADEAU. SACHE QUE JE PRENDRAI GRAND SOIN DE CE PETIT BIJOU...

UN GROS MERCI AUSSI À MON COPAIN JÉRÉMIE POUR TOUS CES MOMENTS PASSÉS À *CHOUENNER* AU LIEU DE TRAVAILLER...

À MON FRÈRE TANCRÈDE, JE DIS MERCI DE M'AVOIR APPRIS LE SAVOIR INDIEN ET LES SECRETS DE LA NATURE...

FINALEMENT, J'AIMERAIS AJOUTER QUE SI JE NE SUIS PAS CHEZ NOUS DANS LES CINQ PROCHAINES MINUTES, JOSÉPHINE DEMANDE LE DIVORCE, C'EST CERTAIN! ELLE QUI A ANNULÉ SON BINGO DU VENDREDI POUR ME CUISINER UNE BONNE *TOURTIÈRE*. EN PLUS, J'AI JUSTEMENT LA *FALE BASSE*!

SAGUENAY:
SUPER SAGAMIE LANGELIER
SUPER SAGAMIE MARCHÉ DU COIN
SUPER SAGAMIE ROI-GEORGES
SUPER SAGAMIE ST-GEORGES
SUPER SAGAMIE DU CARREFOUR
SUPER SAGAMIE BAIERIVERAIN
SUPER SAGAMIE PLUS
SUPER SAGAMIE ÉPICERIE DU COIN

SAGUENAY (SUITE):
SUPER SAGAMIE VANIER
SUPER SAGAMIE DU ROYAUME
SUPER SAGAMIE BELVÉDÈRE
SUPER SAGAMIE 7 À 11
SUPER SAGAMIE ST-HILAIRE
SUPER SAGAMIE DESBIENS
SUPER SAGAMIE TERRASSES DE LA PULPERIE

LAC-SAINT-JEAN:
SUPER SAGAMIE DU PONT
SUPER SAGAMIE MISTASSINI
SUPER SAGAMIE PLACE DU PONT
SUPER SAGAMIE DÉPANNEUR ST-JUDE

Aidons-les ENFANTS
Fondation des dépanneurs Super Sagamie

Super Sagamie

FIN AVRIL; ON FÊTE PÂQUES EN FAMILLE.

ON RETROUVE JOSÉPHINE ET THÉOPHILE DANS LEUR PETIT NID D'AMOUR...

THÉOPHILE ÉTANT EN PLEINE RÉNOVATION DE SON CADEAU DE RETRAITE, UN FUTUR SECOND PETIT NID D'AMOUR SERA SPÉCIALEMENT AMÉNAGÉ AU GOÛT DES DEUX TOURTEREAUX.

HEILLE! *LÀ LÀ, À CAUSE* QUE *TU FAIS SIMPLE* DE MÊME AUJOURD'HUI? ESSAYE PAS DE TE DÉFILER, **CHER**, ON VA FÊTER LA PÂQUES CHEZ MAMAN, PEU IMPORTE TES ARGUMENTS.

MAIS CHÉRIE, ON NE PEUT PAS REMETTRE ÇA? TU VOIS BIEN QUE JE SUIS OCCUPÉ!

VIVEMENT LE JOUR OÙ TU VAS ARRÊTER DE METTRE DE L'ALUMINIUM PARTOUT! EN ATTENDANT, **GREYE-TOI** VITE, MAMAN NOUS ATTEND POUR LA MESSE.

AH **BOSWELL**! DIRE QUE JE VIS DANS LE **ROYAUME** OÙ IL Y A QUATRE FILLES POUR UN GARS, PIS IL A FALLU QUE JE TOMBE SUR TOI... ÇA POURRAIT PAS ÊTRE PIRE!

... BAH! OUI, ÇA POURRAIT ÊTRE PIRE... SI J'ÉTAIS **POGNÉ** AVEC TA MÈRE!

ICI, LA DÉFINITION DU **ROYAUME**... COMME LE VEUT LA CROYANCE POPULAIRE.

LAISSE MAMAN EN DEHORS DE ÇA ET GROUILLE-TOI! LE CURÉ COMMENCE SA MESSE DANS UNE HEURE. DE TOUTE FAÇON, ÇA NE TE FERA PAS DE TORT DE SORTIR DE JONQUIÈRE, POUR UNE FOIS.

QUELQUES MINUTES PLUS TARD, ILS SONT EN ROUTE POUR LA CATHÉDRALE DE CHICOUTIMI AFIN DE CÉLÉBRER PÂQUES DANS L'AMOUR, LA PAIX ET LE PARTAGE...

LE PARTAGE DE BÊTISES, ON S'ENTEND!

LE GENDRE, POUR UNE FOIS QUE TU SORS DE JONQUIÈRE, T'AURAIS PU LAISSER TON PLANT DE BLEUETS À LA MAISON!

OUI, POUR UNE FOIS QUE JE SORS DE JONQUIÈRE, VOUS AURIEZ PU LAISSER VOTRE **AIR BÊTE** À LA MAISON. MAINTENANT, J'AIMERAIS, SI POSSIBLE, ADMIRER LE BEAU PAYSAGE EN TOUTE TRANQUILLITÉ.

RAj 02

REGROUPEMENT
ACTION JEUNESSE 02

LA PULPERIE DE CHICOUTIMI
300 DUBUC
CHICOUTIMI (QUÉBEC)
G7J 4M1

TÉL.: 418-698-3100
SANS FRAIS: 1 877 998-3100

www.pulperie.com

DÉBUT MAI; LE GRAND CONCOURS.

AU SAGUENAY, ON AIME BIEN SE RASSEMBLER POUR JOUER À LA **POULE** ET SIROTER QUELQUES BIÈRES... OU L'INVERSE. CELA PERMET DE PARLER DES VACANCES ET DE PRENDRE SES POSITIONS POUR UNE GRANDE TRADITION DU **ROYAUME**...

... QUI CONSISTE À TROUVER LE MOMENT EXACT OÙ LE LAC-SAINT-JEAN VA **CALER**.

MOI C'EST DÉCIDÉ, J'ME PAYE DES GROSSES VACANCES CET ÉTÉ.

MOI PAS CROIRE QUE THÉOPHILE VA ALLER PLUS LOIN QUE **RANG DES BOBETTES**!

PFFT! CETTE ANNÉE, J'EMMÈNE MA DOUCE EN VOYAGE AU **LAC**.

WOW! MONSIEUR EST TENTÉ PAR LA GRANDE AVENTURE DEPUIS SA RETRAITE!

BAH! MOI J'ME DIS, POURQUOI PRENDRE DES AVIONS, DEMANDER DES PASSEPORTS ET T'ACCABLER DU DÉCALAGE HORAIRE QUAND T'AS LE PARADIS JUSTE À CÔTÉ DE CHEZ TOI!

FAUT DIRE QU'AVEC UNE TELLE TENTE-ROULOTTE, C'EST VIVRE L'AVENTURE DANS UN CONFORT CINQ ÉTOILES.

UN CONFORT SOUS LES ÉTOILES, TU VEUX DIRE!

BON, MAINTENANT, SI ON PASSAIT AUX CHOSES SÉRIEUSES...

VOICI LE TOUT NOUVEAU TROPHÉE QUE J'AI FABRIQUÉ, EN ALUMINIUM BIEN SÛR. IL SERA REMIS AU GAGNANT DE CETTE ANNÉE.

TU VEUX DIRE REMIS À TANCRÈDE... COMME CHAQUE ANNÉE.

CENTRE D'INTERPRÉTATION
SIR·WILLIAM·PRICE
1994, rue Price, Jonquière, Québec. G7X 7X8
Téléphone 418.695-7278 • Téléc.: 418.695-7172
Courriel: patrimoinejonquiere@hotmail.com

Une histoire
à découvrir

HEURES D'OUVERTURE
• Mi-juin à la Fête du travail
  Tous les jours de 9h à 17h

• Hors saison
  Lundi au vendredi de 9h à 16h

www.placeduroyaume.com

LE PLUS GRAND CENTRE COMMERCIAL
DU SAGUENAY • LAC-SAINT-JEAN

PLACE DU ROYAUME
1401, BOUL. TALBOT
CHICOUTIMI (QUÉBEC)
G7H 5N6
TÉL.: 418.545.2721

DÉBUT JUIN; ENFIN L'ÉTÉ S'INSTALLE UNE FOIS POUR TOUTES.

INDÉNIABLEMENT, LES CHAUDS RAYONS DU MOIS DE JUIN SONT À L'ORIGINE D'UNE TRADITION TOUTE JONQUIÉROISE...

UNE TRADITION DIFFICILEMENT EXPLICABLE, MAIS BON...

L'ORIGINE IMPORTE PEU, CE QUI COMPTE CE SONT LES RENCONTRES ET LES SOURIRES, CAR...

... AU DÉBUT JUIN, TOUS SE DONNENT TOUJOURS RENDEZ-VOUS...

... AU **PONT D'ALUMINIUM** POUR CÉLÉBRER, EN FAMILLE OU ENTRE AMIS, L'ARRIVÉE DE LA SAISON CHAUDE. AU MENU: SPORT, BRONZAGE, FLÂNERIE ET RIGOLADE POUR SALUER ENFIN LE SOLEIL QUI POINTE SON NEZ POUR UN BON BOUT DE TEMPS.

JEAN COUTU

On trouve de tout... *même un ami !*

CHICOUTIMI
2000, BOULEVARD TALBOT
CHICOUTIMI (QUÉBEC)
G7H 7Y3

TÉL.: 418.698.9556

JONQUIÈRE
3650, RUE DU ROI-GEORGES
JONQUIÈRE (QUÉBEC)
G7X 1V1

TÉL.: 418.542.9556

10

CORNEAU CANTIN
L'AUTHENTIQUE ÉPICERIE

24 JUIN; DÉBUT DES VACANCES, AVEC LA SAINT-JEAN-BAPTISTE.

www.tourismealma.com

LAISSEZ-VOUS CHARMER PAR UNE BALADE À VÉLO ET DÉCOUVREZ UNE VILLE CULTURELLE FASCINANTE!

11

TOURISME ALMA LAC-SAINT-JEAN
1682, AV. DU PONT NORD
ALMA (QUÉBEC)
G8B 5G3

TÉL.: 418.668.3611 / 1.877.668.3611

TOURISMEALMA
LAC-SAINT-JEAN

www.OdysseeDesBatisseurs.com

Parc thématique
l'eau au coeur du développement
Alma, Lac-Saint-Jean

L'ODYSSÉE
DES BÂTISSEURS

LES VACANCES SE POURSUIVENT AVEC UNE PETITE VISITE AU MAGNIFIQUE VILLAGE FANTÔME DE VAL-JALBERT.

VILLAGE HISTORIQUE DE VAL-JALBERT

BON, CHÉRI, ES-TU PRÊT POUR DÉCOUVRIR LE VILLAGE DE TON ARRIÈRE-GRAND-PÈRE, LE SEUL ET L'UNIQUE PHILIODORE « LE JOUEUR DE TOURS » TREMBLAY?

BOF! J'SUIS PEUT-ÊTRE PAS SI PRÊT QUE ÇA!

ALLEZ VIENS! C'EST DRÔLE DE PENSER QU'IL Y A PLUS DE 100 ANS, DES GENS SONT VENUS ICI POUR CONSTRUIRE UN VILLAGE AVEC LEURS FAMILLES, LEURS RÊVES, LEURS AMBITIONS.

C'EST PEUT-ÊTRE DRÔLE TOUT ÇA, MAIS LES FANTÔMES, C'EST UN PEU MOINS DRÔLE. EN TOUT CAS, MOI, J'AI PAS PRIS DE CHANCE.

TU ES PEUREUX SANS BON SENS! R'GARD L'ÉCOLE, C'EST PROBABLEMENT LÀ QUE PHILIODORE A RENCONTRÉ SA ROSE-AIMÉE.

C'EST PROBABLEMENT LÀ QU'IL A COMMENCÉ SA LONGUE CARRIÈRE DE JOUEUR DE TOURS AUSSI. VOIS-TU, À CÔTÉ? C'EST LE BUREAU DE POSTE.

BUREAU DE POSTE

WWW.VALJALBERT.COM

13

VILLAGE HISTORIQUE DE Val-Jalbert

CHAMBORD, QUÉBEC

WWW.CHATEAU-ROBERVAL.QC.CA

Hôtel classé 4 étoiles, le Château Roberval est l'endroit idéal pour séjourner lors de votre passage au Saguenay-Lac-Saint-Jean. Le Château vous accueillera avec chambres tout confort, piscine intérieure, bain tourbillon, salle à manger élégante, salles de réunions, bar et piste de danse.

CHÂTEAU ROBERVAL
1225, BOUL. ST-DOMINIQUE
ROBERVAL (QUÉBEC)
G8H 2P1

TÉL.: 418.275.7511
TÉL.: 1.800.661.7611

TOUT JUSTE ARRIVÉS À SAINT-FÉLICIEN, JOSÉPHINE ET THÉOPHILE FONT UN ARRÊT AU MAGNIFIQUE ZOO, AFIN D'EN CONNAÎTRE DAVANTAGE SUR LA BIODIVERSITÉ BORÉALE...

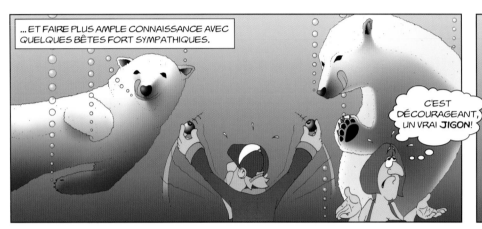

... ET FAIRE PLUS AMPLE CONNAISSANCE AVEC QUELQUES BÊTES FORT SYMPATHIQUES.

C'EST DÉCOURAGEANT, UN VRAI *JIGON*!

OUF! CES PETITS NOUNOURS SONT BEAUCOUP PLUS IMPRESSIONNANTS EN VRAI QUE SUR LES PIÈCES DE DEUX DOLLARS!

LE ZOO PARLE DE BORÉALIE ET PRÉSENTE AUX VISITEURS LES ÉCOSYSTÈMES, LES ESPÈCES, LES POPULATIONS ANIMALES ET VÉGÉTALES DE LA RÉGION, DU QUÉBEC ET DU CANADA. LES DÉCOUVERTES SONT FASCINANTES ET, LORSQU'ON PRÊTE ATTENTION, IL EST POSSIBLE DE TROUVER BIEN DES RESSEMBLANCES ENTRE LES BÊTES ET... LES **AIRS BÊTES**!

REGARDE, JOSÉPHINE, C'EST ÉTRANGE COMME CE DINDON ME RAPPELE QUELQU'UN!

MAIS RESSEMBLANCE OU PAS, LE CONTACT DIRECT AVEC LA NATURE NE LAISSE PERSONNE INDIFFÉRENT.

L'AVENTURE BORÉALE

1.800.667.5687

 15

WWW.BOREALIE.ORG

ZOO SAUVAGE
DE ST-FÉLICIEN
CENTRE DE CONSERVATION
DE LA BIODIVERSITÉ BORÉALE

UNE DES PARTICULARITÉS DU ZOO EST LA PROMENADE EN TRAIN GRILLAGÉ...

... OÙ L'ON NOUS PRÉSENTE LES ANIMAUX DANS LEUR ENVIRONNEMENT NATUREL ALORS QUE NOUS, LES HUMAINS, SOMMES EN CAGE.

AVEC UN PANACHE COMME CELUI-LÀ, C'EST CERTAIN QUE JE GAGNERAIS LE CONCOURS CETTE ANNÉE!

BANG!

OH! MON DIEU! QU'EST-CE QUI SE PASSE?

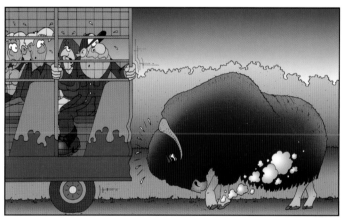

HI HI HI! J'PENSE QUE LE BOEUF MUSQUÉ TE TROUVE PAS MAL DE SON GOÛT, CHÈRE JOSÉPHINE.

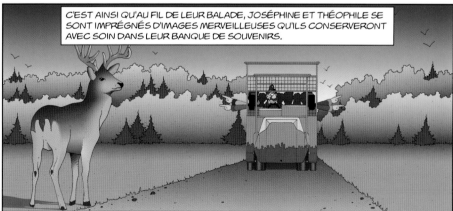

C'EST AINSI QU'AU FIL DE LEUR BALADE, JOSÉPHINE ET THÉOPHILE SE SONT IMPRÉGNÉS D'IMAGES MERVEILLEUSES QU'ILS CONSERVERONT AVEC SOIN DANS LEUR BANQUE DE SOUVENIRS.

FRANÇOISE GAUTHIER
DÉPUTÉE DE JONQUIÈRE
MINISTRE DU TOURISME

Ministère
du Tourisme

Québec

UNE SEMAINE PLUS TARD, NOS DEUX TOURTEREAUX SE DIRIGENT VERS MASHTEUIATSH AFIN DE REVOIR TANCRÈDE ET D'EN APPRENDRE UN PEU PLUS SUR LES US ET COUTUMES DES PEKUAKAMIULNUATSH.

IL Y A BEAUCOUP DE JOIE DANS LE COEUR DE TANCRÈDE POUR VOUS ACCUEILLIR!

CELA A PRIS TELLEMENT D'ANNÉES POUR VENIR DANS RÉSERVE ILNU QUE TANCRÈDE CROYAIT QUE FRÈRE THÉOPHILE AVAIT TROP D'ALUMINIUM DANS MOCASSINS POUR ARRIVER JUSQU'ICI!

C'EST MON PLUS GRAND PLAISIR QUE D'ÊTRE CHEZ TOI! FAUT PAS PERDRE DE TEMPS, ALLONS VISITER UN PEU PENDANT QUE JOSÉPHINE INSTALLE LA TENTE-ROULOTTE.

BONNE IDÉE, ALLONS RENCONTRER FAMILLE DE TANCRÈDE!

QUELQUES INSTANTS PLUS TARD, AUTOUR D'UN BON FEU DE CAMP.

Chez Tancrède

ALORS, VOICI GRANDE FAMILLE DE TANCRÈDE...

ICI, **PICABO**, FIDÈLE AMI DE TANCRÈDE. CAPABLE DE CHASSER OURS NOIR ET DÉNICHER OÙ SE CACHE **OUANANICHE**...

PETIT **SHUK**, CAPABLE DE S'ATTAQUER À GROS GIBIER ET SE FAIRE METTRE DEHORS DE L'ÉCOLE TROIS FOIS DANS UNE SEMAINE...

BELLA **MINA**, CAPABLE DE METTRE AU MONDE PETIT FRIPON, MAIS AUSSI CAPABLE DE FAIRE BEAUCOUP D'AUTRES CHOSES POUR LE GRAND PLAISIR DE TANCRÈDE...

ONCLE **KANIU**, CAPABLE DE BRASSER BONNES AFFAIRES AVEC HOMME BLANC...

w w w . s d e i . c a / t o u r i s m e

17

HÉRITAGE MILLÉNAIRE, HOSPITALITÉ LÉGENDAIRE

CARREFOUR D'ACCUEIL ILNU NIKUISKUSHTAKAN
1516, RUE OUIATCHOUAN
MASHTEUIATSH
G0W 2H0

TÉL.: 418.275.7200
TÉL.: 1.888.222.7922

Nikuishkushtakan

ET MATUVULA, LE CHAMAN, CAPABLE DE GUÉRIR, JETER DES SORTS ET PARLER AUX DIEUX.

OUI, MATUVULA PEUT MONTRER, MAIS FRÈRE THÉOPHILE DOIT FAIRE ATTENTION DE BIEN DANSER POUR NE PAS PROVOQUER COLÈRE DES DIEUX!

OH WOW! J'AIMERAIS BIEN QUE MATUVULA ME MONTRE COMMENT FAIRE LA DANSE DE LA PLUIE!

T'INQUIÈTE PAS, J'AI LA DANSE DANS LE SANG!

HEG HO HO! HEG HO HO!

HEK YA YA! HEK YA YA!

ALORS, ON Y VA AVEC LA GIGUE DE LA GROSSE PLUIE BATTANTE.

OUPSSSS!

TZZZ!

HUM! ON VA DEVOIR FUMER CALUMET DE PAIX POUR TENTER DE CALMER COLÈRE DES DIEUX.

BRAOUM!

TOC! TOC! TOC!

THÉOPHILE! THÉOPHILE! J'SAIS PAS CE QUI SE PASSE, MAIS JE VIENS TOUT JUSTE DE PARLER À MAMAN. FAUT ABSOLUMENT SE RENDRE À CHICOUTIMI, PARAÎT QU'IL TOMBE UN VRAI DÉLUGE, ET MAMAN A PEUR. ELLE DIT QU'Y A EU CERTAINEMENT QUELQUE CHOSE DE GRAVE QUI EST ARRIVÉ POUR CAUSER UNE TELLE TEMPÊTE...

J'VOIS VRAIMENT PAS CE QUI POURRAIT PROVOQUER UN DÉLUGE... TU SAIS BIEN QUE TA MÈRE S'ANGOISSE ENCORE POUR RIEN. SI ÇA PEUT TE RASSURER, ALLONS À CHICOUTIMI. MAIS PAS PLUS QUE DEUX OU TROIS JOURS; IL N'EST PAS QUESTION QUE JE MANQUE LE FESTIVAL DE LA GOURGANE D'ALBANEL!

CENTRE HISTORIQUE DES SOEURS DE NOTRE-DAME DU BON-CONSEIL DE CHICOUTIMI

700, rue Racine Est (porte 688) Chicoutimi, Québec, Canada G7H 1V2
Tél.: 418-543-4861 // Courriel: centrehistorique_ndbc@sympatico.ca

Le Centre historique des Soeurs de Notre-Dame du Bon-Conseil de Chicoutimi
Un lieu de mémoire / Un lieu d'animation / Un lieu d'évangélisation

18

FONDATION MÈRE FRANÇOISE SIMARD
«Une oeuvre d'éducation au Saguenay-Lac-Saint-Jean, Côte-Nord»
Information: 418-543-4861

VENDREDI 19 JUILLET; LE DÉLUGE.

EN ROUTE VERS CHICOUTIMI, LA PLUIE SE FAIT DE PLUS EN PLUS MENAÇANTE.

MAMAN AVAIT VRAIMENT L'AIR EFFRAYÉE AU TÉLÉPHONE.

BEN VOYONS, COMME D'HABITUDE ELLE S'EN FAIT POUR RIEN. UN PEU D'EAU, ÇA VA SEULEMENT FAIRE DU BIEN AUX ARBRES!

ARRIVÉS À DESTINATION, JOSÉPHINE ET THÉOPHILE CONSTATENT QUE LA SITUATION EST DRAMATIQUE ET VA DE MAL EN PIS.

EN ENTRANT CHEZ BELLE-MAMAN...

C'EST PAS PARCE QUE J'AI UN PIED ET DEMI D'EAU DANS LE SALON QUE TU NE VAS PAS ÔTER TES BOTTES!

EN CETTE JOURNÉE QUI RESTERA GRAVÉE À TOUT JAMAIS DANS LA MÉMOIRE DES SAGUENÉENS ET DES JEANNOIS, THÉOPHILE FUT CONFRONTÉ À UNE PÉNIBLE RÉALITÉ.

OUF! C'EST VRAIMENT PLUS GRAVE QUE CE QUE JE PENSAIS. JE VAIS ALLER **SCENER** SI DES GENS ONT BESOIN D'AIDE...

MAIS AVANT, JE DOIS PRENDRE DES FORCES. QUANT À VOUS DEUX, RESTEZ CALMES, IL NE FAUT SURTOUT PAS PANIQUER.

La Ville de Saguenay est fière de contribuer à la publication des « Aventures de Théophile ». Nous avons à cœur que de nouveaux talents littéraires puissent éclore et se faire connaître chez nous ainsi que partout au Québec.

Ville de **Saguenay**

TOUT COMME BELLE-MAMAN D'AILLEURS, QUI FUT RESCAPÉE IN EXTREMIS...

... JUSTE AVANT DE VOIR PARTIR, À CONTRECOEUR, LES SOUVENIRS DE TOUTE UNE VIE.

MAIS, CETTE TRAGÉDIE, BIEN QUE TRISTE ET CATASTROPHIQUE, DÉMONTRA TOUTE LA SOLIDARITÉ D'UN PEUPLE FIER. CET ÉVÉNEMENT, GRANDIOSE DANS SA FORME, PROUVA AUX QUÉBÉCOIS, ET MÊME AU RESTE DU MONDE, LA FORCE ET LE COURAGE QUI ANIMENT LES HABITANTS DU *ROYAUME*.

FIN JUILLET; LE FESTIVAL DE LA GOURGANE.

APRÈS LA PLUIE, VIENT LE BEAU TEMPS. NOS DEUX VOYAGEURS SE RETROUVENT À ALBANEL, ET THÉOPHILE EST ANXIEUX DE PRÉSENTER SA RECETTE SECRÈTE DE SOUPE AUX **GOURGANES** QU'IL A SU AMÉLIORER SAVAMMENT AU FIL DE LONGUES ANNÉES D'ÉTUDE.

BIENVENUE À ALBANEL

DANS SON FOR INTÉRIEUR, IL SAIT QUE CE CONCOURS REPRÉSENTE POUR LUI UNE SORTE DE CONSÉCRATION; QU'EN REMPORTANT LE PREMIER PRIX, IL SERAIT PROMU PARMI LES GRANDS BÂTISSEURS DU **ROYAUME.**

les TREMBLAY 14

MAIS, DANS CE GENRE DE RENCONTRES, LA COMPÉTITION EST FÉROCE ET SANS PITIÉ – CE QUI RÉJOUIT LES DÉGUSTATEURS, D'AILLEURS.

les Visiteurs 13

QUAND LE GRAND JUGE VA DÉGUSTER MA SOUPE, C'EST CERTAIN QUE JE VAIS DÉTRÔNER **DENYS 1ER** COMME ROI SUPRÊME DU **ROYAUME.** MAIS AVANT, IL FAUT QUE J'AJOUTE MON INGRÉDIENT SECRET.

MAINTENANT LE CONCOURS PEUT COMMENCER!

les TREMB 14

DE PROFANES À PASSIONNÉS, L'ÉVÉNEMENT ACCUEILLE DEPUIS PLUSIEURS ANNÉES UN NOMBRE IMPORTANT DE PARTICIPANTS.

JURY

MES HOMMAGES! VOTRE SOUPE EST EXTRAORDINAIRE.

JURY

STÉPHANE BÉDARD
DÉPUTÉ DE CHICOUTIMI

JACQUES CÔTÉ
DÉPUTÉ DE DUBUC

STÉPHAN TREMBLAY
DÉPUTÉ DE LAC-SAINT-JEAN

TRAVERSÉE INTERNATIONALE
DU LAC SAINT-JEAN
Trajet pour la compétition de 32 kilomètres

PÉRIBONKA

ROBERVAL

APRÈS AVOIR SAVOURÉ LA VICTOIRE GRÂCE À SA FAMEUSE SOUPE, THÉOPHILE DÉCIDE DE REPRENDRE LA ROUTE EN DIRECTION DE PÉRIBONKA. MAIS, CETTE FOIS-CI, LE DÉFI SERA DE TAILLE...

CAR POUR THÉOPHILE, LE TEMPS EST VENU DE SE PROUVER À LUI-MÊME...

... QU'IL PEUT SE DÉPASSER EN TANT QU'INDIVIDU.

AVEC MON **BRAYET** FLAMBANT NEUF, LA TRAVERSÉE VA ÊTRE UN VRAI JEU D'ENFANT POUR MOI!

FAIS PAS DE FOLIES POUR TE **NEYER**; TU SAIS QUE T'AS PLUS VINGT ANS!

T'EN FAIS PAS! TANCRÈDE M'A DIT QU'IL SERAIT SUR LE LAC EN CHALOUPE. TU PEUX TE RENDRE À ROBERVAL, ON SE VOIT TANTÔT.

CLASSÉE PAR PLUSIEURS COMME L'UNE DES SIX ÉPREUVES SPORTIVES LES PLUS DIFFICILES AU MONDE, LA TRAVERSÉE DU LAC-SAINT-JEAN EST UN DES ÉVÉNEMENTS MAJEURS ET PRESTIGIEUX DE LA RÉGION...

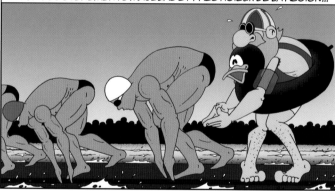

... QUI ATTIRE LES PLUS GRANDS SPORTIFS DU GLOBE.

PAF!

THÉOPHILE
THÉOPHILE
RÉVEILLE-
TOI !

PUISQUE THÉOPHILE NE FAIT PAS PARTIE DU CLUB DES SUPERS HÉROS DE BANDE DESSINÉE, IL EST ÉVIDENT QU'IL NE PARVIENDRA JAMAIS À COMPLÉTER LA TRAVERSÉE... MAIS, IL SERA AUX PREMIÈRES LOGES POUR SUIVRE LE DÉNOUEMENT DE CETTE ÉPREUVE D'ENVERGURE.

JE PENSE QUE FRÈRE THÉOPHILE A PERDU SES FONDS!

THÉOPHILE! THÉOPHILE!

VAUT MIEUX PROTÉGER LA TÊTE ET FAIRE TRAVERSÉE EN COMPAGNIE DE TANCRÈDE.

BON, ÇA DONNE RIEN DE ROULER TROP VITE, JE VAIS DEVOIR ATTENDRE SON ARRIVÉE DE TOUTE FAÇON!

IL ÉTAIT PLUS QUE TEMPS QUE TU TE POINTES. JE SUIS ARRIVÉ LE PREMIER... DEPUIS PLUS D'UNE HEURE!

WOW! IL EST PAS MAL PLUS EN FORME QUE JE LE PENSAIS.

DÉBUT AOÛT; LA CUEILLETTE DES BLEUETS.

DE NOUVEAU, LES AS DE L'ASPHALTE SE LAISSENT SÉDUIRE PAR LES ATTRACTIONS QUI AGRÉMENTENT LA ROUTE DES VACANCES.

PROCHAIN ARRÊT: DOLBEAU-MISTASSINI, LA CAPITALE MONDIALE DU *BLEUET*. AU DÉBUT DU MOIS D'AOÛT DE CHAQUE ANNÉE, ON Y PRÉSENTE UN FESTIVAL DIGNE DE MENTION.

HALTE OBLIGATOIRE POUR TOUT HOMME DONT LE BONHEUR DE LA CONJOINTE FAIT PARTIE DES PRIORITÉS DE LA VIE: LA CHOCOLATERIE DES PÈRES TRAPPISTES.

MIAM, MIAM! LE CHOCOLAT AUX *BLEUETS* EST CERTAINEMENT LA MEILLEURE FAÇON D'ATTEINDRE LE 7E CIEL...

MAINTENANT, VITE, TROUVONS UNE BLEUETIÈRE AFIN DE CUEILLIR MA PROVISION POUR L'HIVER.

AU SAGUENAY, IL FAUT SAVOIR S'ÉQUIPER D'UN GROS PANIER QUAND IL EST QUESTION DE CUEILLETTE DE *BLEUETS*. LE BOULOT EST ARDU, MAIS LE FRUIT DU LABEUR EST SUBLIME.

DÉPÊCHONS-NOUS, J'VEUX PAS MANQUER LA GROSSE TARTE AUX *BLEUETS* DU FESTIVAL. PARAÎT QU'ELLE VAUT VRAIMENT LE DÉTOUR.

PAS AVANT D'AVOIR TERMINÉ LA *TALLE*! ARRÊTE DE MANGER ET TRAVAILLE UN PEU, ÇA VA ALLER PLUS VITE.

QUELQUES INSTANTS PLUS TARD.

BONJOUR, JE SUIS LE CHEF TREMBLAY, C'EST UN HONNEUR DE VOUS RECEVOIR PARMI NOUS.

SACHEZ QUE CETTE ANNÉE, NOUS AVONS UTILISÉ DEUX *BLEUETS* POUR FAIRE LA TARTE, CE QUI REPRÉSENTE UN NOUVEAU RECORD MONDIAL.

THÉOPHILE TREMBLAY, HEUREUX DE FAIRE VOTRE CONNAISSANCE. SACHEZ QUE J'AI QUITTÉ JONQUIÈRE EXPRESSÉMENT POUR GOÛTER À VOTRE CÉLÈBRE TARTE.

Au Gré du Vent
CERFS-VOLANTS SPORTIFS & FAMILIAUX

CERFS-VOLANTS SPORTIFS ET FAMILIAUX

SIÈGE SOCIAL: PLACE DU MARCHÉ
LA CÔTE, ÉTANG-DU-NORD
TÉL.: 418.986.5069 // 418.986.5000

COURRIEL: INFO@GREDUVENT.COM

www.greduvent.com
VENTE • RÉPARATION • INITIATIONS • ANIMATION
COURS • ATELIERS DE FABRICATION • FORFAITS

AUX QUATRE COINS DU **ROYAUME**, ON ENTEND SOUVENT DIRE QU'ICI, TOUT EST TOUJOURS PLUS GROS QU'AILLEURS. LES PROBLÈMES, LES PROJETS, LES CATASTROPHES ET MÊME LES BIÈRES EXISTENT DANS DES PROPORTIONS GIGANTESQUES. LES DÉNIGREURS PRÉTENDENT ALORS QUE PLUSIEURS EXAGÈRENT LA VÉRITÉ POUR EMBELLIR LEUR PETITE ROUTINE QUOTIDIENNE.

MAIS, AU BOUT DU COMPTE, VOUS SEUL SEREZ JUGE DE LA VÉRITÉ.

HUM! CETTE MASCOTTE ME MET L'EAU À LA BOUCHE.

PUIS, ARRIVE LE MOMENT TANT ATTENDU OÙ L'ON PASSE DES PAROLES À L'ACTE.

UN MOMENT QUI FAIT LE BONHEUR DE TOUS...

DES HABITUÉS DU FESTIVAL...

... AUX VISITEURS CÉLÈBRES.

... EN PASSANT PAR DES PERSONNAGES INATTENDUS.

UN BON CONSEIL POUR ACCOMPAGNER LA TARTE AUX BLEUETS; DEUX GROSSES BOULES DE CRÈME GLACÉE... BIEN FROIDE!

... À LA GRANDE JOIE DU CHEF TREMBLAY QUI, LUI NON PLUS, NE PEUT RÉSISTER À LA TENTATION D'UNE BONNE POINTE DE TARTE AUX **BLEUETS**.

LE VENT QUI VENTE COMMUNICATIONS

L'équipe du Vent Qui Vente vous encourage à prendre des vacances et à voyager.

CAA QUÉBEC **Voyages**

www.caaquebec.com

MI-AOÛT; VISITE DE LA BAIE.

ON TROUVE AU *ROYAUME* QUELQUES CÉLÈBRES FROMAGERIES QUI FONT LE BONHEUR DES FINS GOURMETS. JOSÉPHINE ET THÉOPHILE DÉCIDENT DE S'ARRÊTER À L'UNE D'ENTRE ELLES, SITUÉE DANS LE COIN DE LA BAIE.

PUIS, TOUT EN PRENANT L'AIR, UNE VISITE DE LA VILLE S'IMPOSE AFIN D'EN DÉCOUVRIR TOUTES LES PARTICULARITÉS.

JOSÉPHINE, L'AUTRE JOUR TON PÈRE ME DEMANDAIT LA DIFFÉRENCE ENTRE LA RIVIÈRE SAGUENAY ET TA MÈRE?

IL DISAIT QU'IL N'Y EN A PAS. TOUTES LES DEUX ONT COMMENCÉ MINCES, PUIS ELLES ONT GROSSI ET, FINALEMENT, SONT PARTIES AVEC LA MAISON.

GRRRR! GRRRR!

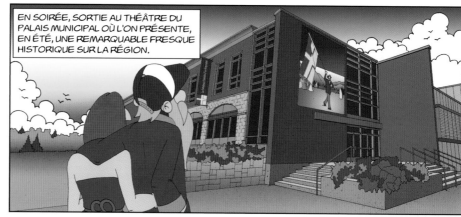

EN SOIRÉE, SORTIE AU THÉÂTRE DU PALAIS MUNICIPAL OÙ L'ON PRÉSENTE, EN ÉTÉ, UNE REMARQUABLE FRESQUE HISTORIQUE SUR LA RÉGION.

J'VAIS FINALEMENT EN SAVOIR UN PEU PLUS SUR *ALEXIS LE PICOTÉ TREMBLAY*, CÉLÈBRE ANCÊTRE DES TREMBLAY, PAIX À SON ÂME!

TAIS-TOI, LE SPECTACLE COMMENCE!

MUSÉE DU FJORD
3346, BOUL. DE LA GRANDE BAIE SUD
LA BAIE (QUÉBEC) G7B 1G2
TÉL.: 418.697.5077

WWW.MUSEEDUFJORD.COM
Pour découvrir et explorer... à l'extrême!

27

Musée du **Fjord**

RÉSERVATION / INFORMATION
1.888.873.3333

WWW.FABULEUSE.COM
WWW.DECEMBRE.BIZ

28

LA FABULEUSE HISTOIRE D'UN ROYAUME

DÉCEMBRE

DÉBUT OCTOBRE; EXCURSION DE CHASSE ET DE PLEIN AIR.

ALORS QUE LES COULEURS DE L'AUTOMNE ENJOLIVENT LE **ROYAUME**, THÉOPHILE SE PRÉPARE POUR UNE PARTIE DE CHASSE AU PAYS DE MARIA CHAPDELAINE.

JOSÉPHINE, QUANT À ELLE, DÉCIDE DE PROFITER DES DERNIERS RAYONS QUE NOUS APPORTE **L'ÉTÉ INDIEN** POUR S'OFFRIR UNE CHASSE AUX BEAUX PAYSAGES DANS LES ENVIRONS DE L'ANSE-SAINT-JEAN.

POUR THÉOPHILE, ARTHUR ET TANCRÈDE, L'AVENTURE EST TRÈS SÉRIEUSE CAR, ICI, PERSONNE NE BADINE AVEC L'UN DES PLUS VIEUX CONCOURS DU **SAGLAC**.

POUR JOSÉPHINE, L'EXCURSION DE CHASSE CONSISTE À CAPTURER DES IMAGES, À IMMORTALISER DES ÉMOTIONS, DES MOMENTS COCASSES, OU ENCORE D'ÉTONNANTS TABLEAUX RENCONTRÉS AU HASARD DE LA PROMENADE.

BON! J'ESPÈRE QUE CETTE ANNÉE CE SERA QUELQU'UN D'AUTRE QUE TANCRÈDE QUI REMPORTERA LE FAMEUX TROPHÉE DU PLUS GROS **PANACHE**!

... JOSÉPHINE FAIT QUELQUES DIZAINES DE KILOMÈTRES À VÉLO, LE MOYEN IDÉAL POUR PROFITER AU MAXIMUM DE LA SPLENDEUR DU PANORAMA.

PENDANT QUE LES CHASSEURS PARCOURENT LES BOIS À LA RECHERCHE D'**ORIGNAUX**...

WOW, UN BEAU SOUVENIR DU PONT QUI ORNAIT LES ANCIENS BILLETS DE MILLE DOLLARS. C'EST TOUT UN TROPHÉE, **CHER**!

SAGUENAY
une ville - un fjord

www.promotionsaguenay.qc.ca

29

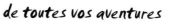
de toutes vos aventures

Promotion
Saguenay

HUM! AVEC CELUI-LÀ, JOSÉPHINE VA NOUS CUISINER UNE BONNE **TOURTIÈRE** À L'**ORIGNAL**.

MIAM! RIEN NE PEUT BATTRE UNE **TOURTIÈRE** AU GROS GIBIER POUR REPRENDRE DES FORCES.

ENFIN, JOSÉPHINE DÉCIDE DE PASSER LES DERNIERS INSTANTS DE CETTE MAGNIFIQUE JOURNÉE EN KAYAK, SUR LE FJORD, POUR ADMIRER LE FLAMBOYANT COUCHER DU SOLEIL.

APRÈS UNE CHASSE FRUCTUEUSE, LES AMIS RENTRENT AU BERCAIL, TRÈS HEUREUX ET FIERS DE LEURS PRISES.

POUR EN REVENIR AU CONCOURS, NE SOYEZ PAS SURPRIS DE VOIR, AU DÉBUT DU MOIS D'OCTOBRE, UN NOMBRE INCROYABLE DE VOITURES QUI ARBORENT UN **PANACHE**...

... CAR C'EST EN EXPOSANTAINSI LEURS CAPTURES QUE LES CHASSEURS PARTICIPENT AU FAMEUX CONCOURS DU PLUS GROS **PANACHE**.

ET PUISQUE TANCRÈDE ÉCOUTE VENT, REGARDE NUAGES, SENT FLEURS, GOÛTE EAU ET CARESSE ANIMAUX...

C'EST AVEC GRAND PLAISIR QUE NOUS TE DÉCERNONS, POUR LA 20^E ANNÉE CONSÉCUTIVE, LE TROPHÉE EN ALUMINIUM DU PLUS GROS **PANACHE**. FÉLICITATIONS, TANCRÈDE!

Des aviateurs aux pilotes de chasse:
l'histoire de la Défense aérienne canadienne.

INFORMATION • RÉSERVATIONS : 418-677-4000 poste 7159

WWW.BAGOTVILLE.NET

25 DÉCEMBRE; ÉCHANGE DE CADEAUX POUR NOËL.

ALORS QUE LA NEIGE S'INSTALLE TRANQUILLEMENT, LA FRÉNÉSIE DU TEMPS DES FÊTES S'EMPARE DES SAGUENÉENS ET DES JEANNOIS.

BON! VU QUE J'AI PIGÉ BELLE-MAMAN, CETTE ANNÉE JE VAIS ME FORCER UN PEU POUR L'EMBALLAGE, ÇA VA FAIRE PLAISIR À JOSÉPHINE.

Y A RIEN COMME UN BON REPAS MAISON PRÉPARÉ AVEC BEAUCOUP D'AMOUR, HEIN MAMAN?

MOI, J'AI PAS MIS D'AMOUR, ALORS SI C'EST PAS BON CE SERA DE MA FAUTE!

CHEZ LES **BLEUETS** COMME DANS LES AUTRES RÉGIONS DU QUÉBEC, ON SE DONNE RENDEZ-VOUS POUR LA MESSE DE MINUIT, UN PRÉAMBULE AU SUCCULENT FESTIN DE NOËL.

PUIS, ON SE RETROUVE EN FAMILLE, ENTRE AMIS, POUR CÉLÉBRER, CHANTER, DANSER, MANGER, S'EMBRASSER, S'AMUSER, BREF, FAIRE AU MOINS LES DEUX TIERS DES VERBES QUI FINISSENT EN « ER ».

MERCI JOSÉPHINE, C'EST EXACTEMENT CE QUE J'AVAIS DEMANDÉ AU PÈRE NOËL! EN PLUS, ELLE EST TOUTE INDIQUÉE AVEC LE BON REPAS QUI NOUS ATTEND.

ALLEZ, SI ON COMMENÇAIT L'ÉCHANGE DE CADEAUX? ALORS, JOYEUX NOËL JÉRÉMIE!

JOYEUX NOËL THÉOPHILE! AVEC CE LIVRE, TU VAS POUVOIR DONNER UN SENS À TOUS LES **BLEUETS** QUE TU MANGES.

MERCI ET JOYEUX NOËL, CHER COMPAGNON.

THÉRAPIE PAR LE BLEUET

BON, UN PAQUET EMBALLÉ AVEC DU PAPIER D'ALUMINIUM. J'ME DEMANDE BIEN QUEL EST LE SANS GÉNIE QUI A EU CETTE BRILLANTE IDÉE?

RÉSERVEZ-VOUS DU TEMPS DE QUALITÉ

31

RESTAURANT LA CUISINE
387 A, RACINE EST
CHICOUTIMI (QUÉBEC)
G7H 1S8
TÉL.: 418.698.2822

WWW.FROMAGERIEBOIVIN.COM

FROMAGERIE BOIVIN
2152, CHEMIN ST-JOSEPH
SAGUENAY, ARR. LA BAIE
G7B 3N9
TÉL.: 418.544.2622

La Fromagerie
Boivin
La Baie, Québec

DÉBUT FÉVRIER; PROMENADE EN MOTONEIGE.

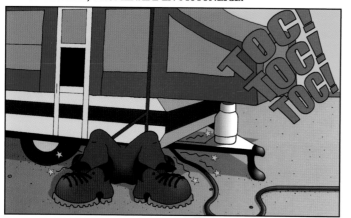

SALUT THÉO! TU VIENS FAIRE UNE PETITE VIRÉE?

OUI, J'ATTENDS TANCRÈDE, PARAÎT QU'IL A QUELQU'UN À NOUS PRÉSENTER. MAIS, EN PATIENTANT, AIDE-MOI DONC À POSER LES PANNEAUX DOUBLE PROTECTION EN ALUMINIUM SUR MON GILLE-PAIN!

BONJOUR AMIS!

T'ES BIEN CHANCEUX! MOI LA MIENNE EST TOUJOURS VIVANTE...

HA! HA! HA! BONJOUR TANCRÈDE! VIENS, ENTRE.

... J'TE LE DIS, CROIS-MOI! MA BELLE-MÈRE EST VRAIMENT UN ANGE!

UN PEU PLUS TARD.

ALLEZ TANCRÈDE! J'AI BIEN HÂTE DE RENCONTRER CETTE FAMEUSE PERSONNE QUE TU VEUX NOUS PRÉSENTER.

ACTIVITÉ TRÈS PRISÉE DE LA RÉGION, LA BALADE EN MOTONEIGE OU EN TRAÎNEAU À CHIENS A TOUT POUR PLAIRE AUX NOMBREUX AVENTURIERS DE TOUT ACABIT.

MUSH!

ALLONS VOIR SI COURAGE DES AMIS DE TANCRÈDE EST FORT COMME UN CHÊNE OU MOU COMME TARTE AUX **BLEUETS.**

APRÈS QUELQUES HEURES DANS LES BOIS, LES PROMENEURS ARRIVENT À UN CHALET SITUÉ AU BEAU MILIEU D'ABSOLUMENT RIEN.

EN FAIT, PRESQUE RIEN...

www.toctocstrategie.com
Offrez-vous un département marketing complet...
Tél.: 418.695.9777

Toc Toc
STRATÉGIE
MARKETING

SACRÉ TANCRÈDE, T'ES UN **MOYEN SNOREAU**, ME DIS PAS QUE C'EST ICI QUE TU CACHES TA MAÎTRESSE?

HA HA HA! JÉRÉMIE FAIT BIEN RIGOLER LA RATE DE TANCRÈDE. NON, ICI SE CACHE ARTHÉMISE...

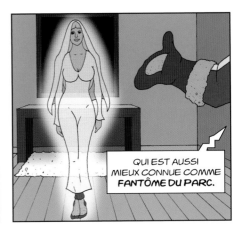

QUI EST AUSSI MIEUX CONNUE COMME **FANTÔME DU PARC**.

BOSWELL! LE **FANTÔME DU PARC** EN PERSONNE... EUH! EN FANTÔME!

BONJOUR TANCRÈDE, CONTENTE DE TE VOIR. BONJOUR VOUS DEUX, ENTREZ, N'AYEZ PAS PEUR...

JE VOUS SERS DU CAFÉ? JE DOIS ME PRÉPARER POUR ALLER TRAVAILLER, MAIS VOUS AVEZ TOUT DE MÊME LE TEMPS DE BOIRE QUELQUE CHOSE.

BEN COMMENT... DU POURQUOI... EST-CE POSSIBLE... QUE NON... À CAUSE QU'IL Y A... JUSTE UNE HISTOIRE... HEIN?!?

IL VEUT DIRE QU'IL EST HEUREUX DE VOUS RENCONTRER, MAIS QU'IL SE DEMANDE POURQUOI VOUS VOUS AMUSEZ À FAIRE SI PEUR AUX GENS QUI TRAVERSENT LE PARC?

MOI AUSSI, JE SUIS HEUREUSE DE VOUS RENCONTRER. CES TEMPS-CI, JE NE REÇOIS PAS BEAUCOUP DE VISITES.

ALORS, MON BEAU JÉRÉMIE, SI JE ME DONNE TANT DE MAL DANS LE PARC, C'EST TRÈS SIMPLE. JE VEUX QUE LES GENS RESTENT ATTENTIFS ET PRUDENTS SUR CETTE SATANÉE ROUTE. LE MEILLEUR MOYEN QUE J'AIE TROUVÉ JUSQU'À MAINTENANT EST DE LEUR FAIRE PEUR.

DONC, VOUS M'EXCUSEREZ, IL FAUT QUE JE PARTE. VOUS FERMEREZ LA PORTE EN SORTANT, D'ACCORD? BONNE SOIRÉE ET SURTOUT, SOYEZ PRUDENTS!

Partez confiant.
Revenez heureux.

34

CAA QUÉBEC **Voyages**

www.caaquebec.com

MI-FÉVRIER; LA PÊCHE BLANCHE.

PAR TRADITION, LES COMPÈRES SE RETROUVENT À SAINTE-ROSE-DU-NORD, L'UN DES PLUS BEAUX VILLAGES DU QUÉBEC, POUR PRATIQUER UNE ACTIVITÉ EXTRÊMEMENT POPULAIRE AU **ROYAUME**.

LORSQUE LA GLACE EST SUFFISAMMENT SOLIDE, LES GENS S'INSTALLENT SUR LES COURS D'EAU POUR LA PÊCHE BLANCHE.

C'EST PAS AVEC ÇA QU'AMI ARTHUR VA METTRE LA MAIN SUR TROPHÉE!

SELON L'ENDROIT OÙ L'ON SE TROUVE ET LES QUALITÉS DU PÊCHEUR...

GRRRRR!

... MORUE FRANCHE, SÉBASTE, FLÉTAN, ÉPERLAN ET PLIE SONT AU MENU DES AMATEURS.

ÉVIDEMMENT, L'AMBIANCE EST À LA FÊTE ET À LA PLAISANTERIE.

CERTAINS PROFITENT DE CES MOMENTS MAGIQUES POUR PRENDRE UN PETIT **COUP DE FORT** AFIN DE SE RÉCHAUFFER, D'AUTRES SAVOURENT UNE BONNE PIPÉE DE TABAC.

PUIS ON SE RACONTE LE **ROYAUME**, DES EXPLOITS DE **VICTOR DELAMARRES** À LA LÉGENDE DE **LA CHASSE-GALERIE**, EN PASSANT PAR LES BONNES VIEILLES BLAGUES QUI ONT QUELQUE CHOSE D'ÉTERNEL.

CE SONT QUATRE FEMMES QUI SE RENCONTRENT AU BINGO DE CHICOUTIMI, LA PREMIÈRE RACONTE: « MON FILS EST PRÊTRE À DOLBEAU ET TOUT LE MONDE L'APPELLE MON RÉVÉREND. »

LE VENT QUI VENTE
COMMUNICATIONS

www.leventquivente.com

LA SECONDE RÉPLIQUE « ALORS MOI, MON FILS EST ÉVÊQUE AU SAGUENAY ET ON L'APPELLE SON EXCELLENCE. »

ENSUITE, LA TROISIÈME DE SE VANTER: « MON FILS QUE J'AIME TANT EST MAINTENANT CARDINAL ET QUAND IL SE PRÉSENTE LES GENS L'APPELLENT SON ÉMINENCE. »

FINALEMENT, LA QUATRIÈME S'AVANCE: « MON FILS EST MERVEILLEUX, IL MESURE SIX PIEDS, BIEN BÂTI, SPORTIF ET BRONZÉ. IL EST DANSEUR NU ET QUAND IL ENTRE EN SCÈNE, TOUT LE MONDE S'ÉCRIE: OH! MON DIEU! »

PAS VOULOIR FAIRE DE PEINE À ARTHUR, MAIS TANCRÈDE VOUS PRÉSENTE GRAND REQUIN DU GROENLAND!

CHER TANCRÈDE, UN JOUR TU DEVRAS ÉCRIRE UN LIVRE POUR TRANSMETTRE TES SECRETS. T'ES VRAIMENT UN CHAMPION.

FACILE POUR TANCRÈDE QUI ÉCOUTE VENT, REGARDE NUAGES, SENT FLEURS, GOÛTE EAU ET CARESSE ANIMAUX... ALORS, IL SAIT PÊCHER!

QUAND IL REGARDE AUTOUR DE LUI, THÉOPHILE SAIT BIEN QUE SON **ROYAUME** A ÉTÉ GRATIFIÉ D'UNE BEAUTÉ INESTIMABLE. PAR CONTRE, CE QU'IL NE COMPREND PAS ENCORE TOUT À FAIT, C'EST QUE C'EST SA PRÉSENCE, TOUT COMME CELLE DE MILLIERS DE SAGUENÉENS ET DE JEANNOIS, QUI ÉLÈVE CETTE BEAUTÉ À UN NIVEAU SUPÉRIEUR, À LA BEAUTÉ SUPRÊME.

BEN, SI C'EST PAS ÇA LE PARADIS!...

LES SECRETS CULINAIRES DU ROYAUME...

SOUPE AUX GOURGANES
(environ 8 portions)

Ingrédients:

6 tasses (1,35 l) d'eau
6 tasses (1,35 l) de bouillon de poulet
3/4 lb (350 g) de lard salé
12 gros dés de poulet

4 tasses (900 ml) de gourganes
1 oignon haché
1 tasse (225 ml) de carottes coupées en dés
1 tasse (225 ml) de navets coupés en dés

1 poireau émincé
1 tasse (225 ml) de haricots jaunes
1 poignée d'orge perlé
Sel et poivre

Dans une casserole, mélanger l'eau, le bouillon, le lard salé, le poulet et les gourganes. Porter à ébullition, puis couvrir et laisser mijoter doucement pendant 1 heure 30 minutes. Ajouter le reste des ingrédients, porter de nouveau à ébullition, couvrir et laisser mijoter 30 minutes supplémentaires. Assaisonner au goût. Ajouter beaucoup d'amour pour une recette qui vaudra celle de Théophile…

TOURTIÈRE DE JOSÉPHINE
(environ 12 portions)

Ingrédients:

1 lb (450 g) de porc en cubes
1 lb (450 g) de bœuf en cubes
1 lb (450 g) de veau en cubes
Fines herbes, persil, sarriette
1 préparation de pâte brisée pour tourtières et pâtés à la viande

2 oignons hachés
1 gousse d'ail hachée
1/4 lb (100 g) de lard salé en dés

6 tasses (1,35 l) de pommes de terre en dés
2 ou 3 os à moelle de boeuf
Sel et poivre

NB : Il est possible et intéressant de remplacer la totalité ou une partie de ces viandes de boucherie par du gibier, comme de la perdrix – à condition de respecter les quantités.

Dans un grand bol, mélanger les cubes de viande, la moitié des oignons, l'ail, le lard salé, du sel, du poivre, les herbes et autres aromates. Couvrir, et réfrigérer au moins 10 heures. Abaisser la pâte à 1/4 de pouce (5 mm) et en garnir une rôtissoire, en laissant dépasser le surplus sur les bords. Mélanger les pommes de terre et la viande, et les déposer sur la pâte dans la rôtissoire.

Bouillon de bœuf : mettre les os à moelle, le reste des oignons, du sel et du poivre au goût dans 6 tasses (1,35 l) d'eau. Faire bouillir et laisser mijoter 3 à 4 heures, puis passer au tamis. Verser le bouillon dans la rôtissoire jusqu'à égalité de la viande et des pommes de terre. Rouler une autre abaisse de pâte pour couvrir, et sceller les deux bords tout autour du plat. Pratiquer au centre une incision d'environ 1 pouce (2,5 cm). Couvrir et mettre au four à 390 °F (200 °C) pendant 1 heure, puis baisser à 300 °F (150 °C) et cuire encore 4 à 5 heures. Laisser reposer 30 minutes avant de servir.

TARTE AUX BLEUETS
(environ 6 portions)

Ingrédients:

Pâte brisée pour 2 abaisses
2 tasses (900 ml) de bleuets

2/3 tasse (300 ml) de sucre
1 oz (30 ml) de beurre

1 oz (30 ml) de farine
1 jaune d'œuf battu

Préchauffer le four à 425 °F (220 °C). Abaisser la moitié de la pâte sur une surface enfarinée. En garnir un moule à tarte. Dans un bol, mélanger les bleuets et le sucre, puis les déposer dans l'abaisse. Ajouter quelques noisettes de beurre et saupoudrer de farine. Abaisser l'autre moitié de la pâte et y tailler des lanières de 1/3 de pouce (1 cm) de largeur. Disposer ces lanières en croisillons sur la tarte. Pincer les contours pour bien les sceller. Badigeonner avec le jaune d'œuf. Cuire à 425 °F (220 °C) pendant 15 minutes, puis réduire à 360 °F (180 °C) et laisser cuire encore 20 minutes.

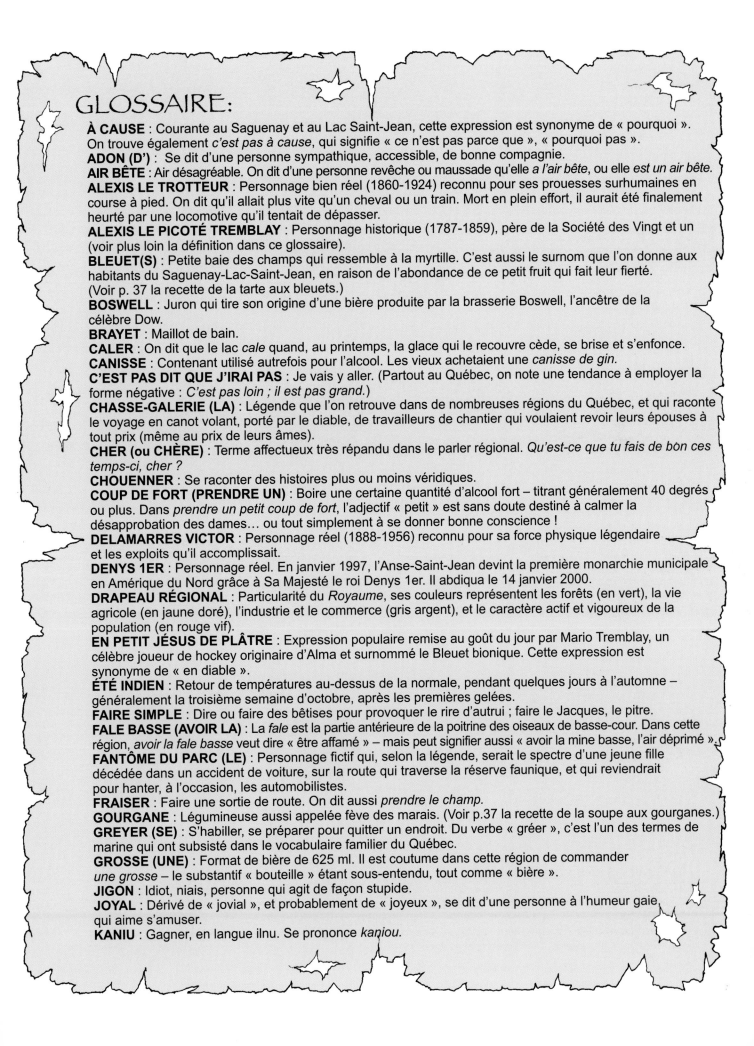

GLOSSAIRE:

À CAUSE : Courante au Saguenay et au Lac Saint-Jean, cette expression est synonyme de « pourquoi ». On trouve également *c'est pas à cause*, qui signifie « ce n'est pas parce que », « pourquoi pas ».

ADON (D') : Se dit d'une personne sympathique, accessible, de bonne compagnie.

AIR BÊTE : Air désagréable. On dit d'une personne revêche ou maussade qu'elle *a l'air bête*, ou elle *est un air bête*.

ALEXIS LE TROTTEUR : Personnage bien réel (1860-1924) reconnu pour ses prouesses surhumaines en course à pied. On dit qu'il allait plus vite qu'un cheval ou un train. Mort en plein effort, il aurait été finalement heurté par une locomotive qu'il tentait de dépasser.

ALEXIS LE PICOTÉ TREMBLAY : Personnage historique (1787-1859), père de la Société des Vingt et un (voir plus loin la définition dans ce glossaire).

BLEUET(S) : Petite baie des champs qui ressemble à la myrtille. C'est aussi le surnom que l'on donne aux habitants du Saguenay-Lac-Saint-Jean, en raison de l'abondance de ce petit fruit qui fait leur fierté. (Voir p. 37 la recette de la tarte aux bleuets.)

BOSWELL : Juron qui tire son origine d'une bière produite par la brasserie Boswell, l'ancêtre de la célèbre Dow.

BRAYET : Maillot de bain.

CALER : On dit que le lac *cale* quand, au printemps, la glace qui le recouvre cède, se brise et s'enfonce.

CANISSE : Contenant utilisé autrefois pour l'alcool. Les vieux achetaient une *canisse de gin*.

C'EST PAS DIT QUE J'IRAI PAS : Je vais y aller. (Partout au Québec, on note une tendance à employer la forme négative : *C'est pas loin ; il est pas grand.*)

CHASSE-GALERIE (LA) : Légende que l'on retrouve dans de nombreuses régions du Québec, et qui raconte le voyage en canot volant, porté par le diable, de travailleurs de chantier qui voulaient revoir leurs épouses à tout prix (même au prix de leurs âmes).

CHER (ou CHÈRE) : Terme affectueux très répandu dans le parler régional. *Qu'est-ce que tu fais de bon ces temps-ci, cher ?*

CHOUENNER : Se raconter des histoires plus ou moins véridiques.

COUP DE FORT (PRENDRE UN) : Boire une certaine quantité d'alcool fort – titrant généralement 40 degrés ou plus. Dans *prendre un petit coup de fort*, l'adjectif « petit » est sans doute destiné à calmer la désapprobation des dames… ou tout simplement à se donner bonne conscience !

DELAMARRES VICTOR : Personnage réel (1888-1956) reconnu pour sa force physique légendaire et les exploits qu'il accomplissait.

DENYS 1ER : Personnage réel. En janvier 1997, l'Anse-Saint-Jean devint la première monarchie municipale en Amérique du Nord grâce à Sa Majesté le roi Denys 1er. Il abdiqua le 14 janvier 2000.

DRAPEAU RÉGIONAL : Particularité du *Royaume*, ses couleurs représentent les forêts (en vert), la vie agricole (en jaune doré), l'industrie et le commerce (gris argent), et le caractère actif et vigoureux de la population (en rouge vif).

EN PETIT JÉSUS DE PLÂTRE : Expression populaire remise au goût du jour par Mario Tremblay, un célèbre joueur de hockey originaire d'Alma et surnommé le Bleuet bionique. Cette expression est synonyme de « en diable ».

ÉTÉ INDIEN : Retour de températures au-dessus de la normale, pendant quelques jours à l'automne – généralement la troisième semaine d'octobre, après les premières gelées.

FAIRE SIMPLE : Dire ou faire des bêtises pour provoquer le rire d'autrui ; faire le Jacques, le pitre.

FALE BASSE (AVOIR LA) : La *fale* est la partie antérieure de la poitrine des oiseaux de basse-cour. Dans cette région, *avoir la fale basse* veut dire « être affamé » – mais peut signifier aussi « avoir la mine basse, l'air déprimé ».

FANTÔME DU PARC (LE) : Personnage fictif qui, selon la légende, serait le spectre d'une jeune fille décédée dans un accident de voiture, sur la route qui traverse la réserve faunique, et qui reviendrait pour hanter, à l'occasion, les automobilistes.

FRAISER : Faire une sortie de route. On dit aussi *prendre le champ*.

GOURGANE : Légumineuse aussi appelée fève des marais. (Voir p.37 la recette de la soupe aux gourganes.)

GREYER (SE) : S'habiller, se préparer pour quitter un endroit. Du verbe « gréer », c'est l'un des termes de marine qui ont subsisté dans le vocabulaire familier du Québec.

GROSSE (UNE) : Format de bière de 625 ml. Il est coutume dans cette région de commander *une grosse* – le substantif « bouteille » étant sous-entendu, tout comme « bière ».

JIGON : Idiot, niais, personne qui agit de façon stupide.

JOYAL : Dérivé de « jovial », et probablement de « joyeux », se dit d'une personne à l'humeur gaie qui aime s'amuser.

KANIU : Gagner, en langue ilnu. Se prononce *kaniou*.

LÀ LÀ : Locution que l'on entend souvent en fin de phrase, pour marquer une affirmation ou une exclamation, ou simplement par tic.

LÀ OÙ SE TERMINE L'EAU PROFONDE : Signification du nom de Chicoutimi en langue amérindienne.

LAC (LE) : Nom que l'on donne communément au lac Saint-Jean et pour désigner la région.

MALAVENANT(E) : Qui est de mauvaise compagnie, qui aime provoquer ou ennuyer son entourage, ou dont le comportement dérange.

MINA : Fruit, en langue ilnu.

NE PAS PRENDRE DE CHANCE(S) : Ne pas prendre de risque(s) ; prendre ses précautions.

NEYER : Déformation du verbe « noyer ».

ORIGNAL(AUX) : Élan du Canada.

OUANANICHE : Emblème animalier du Saguenay-Lac-Saint-Jean, la ouananiche est un poisson salmonidé vivant en eau douce, cousin de la truite brune et de la truite arc-en-ciel. On l'appelle aussi saumon atlantique d'eau douce.

PANACHE : Désigne les bois caducs des animaux tués à la chasse et que les chasseurs rapportent comme trophée.

PARC (LE) : Abréviation du parc des Laurentides ; réserve faunique des Laurentides.

PERDRE SES FONDS : Dans l'eau où l'on se baigne, signifie perdre pied, ne plus avoir pied.

PICABO : Nom d'un chien solitaire dont la force et la ruse, selon la légende ilnu, lui permettaient de s'attaquer aux ours.

PITOUNE : Nom collectif pour désigner les troncs d'arbres transportés autrefois par flottage sur les cours d'eau. On l'emploie aussi pour désigner une fille qui manque de classe, de distinction.

PLAISANT : Abondamment utilisé dans la région pour parler de ce qui est agréable ou amusant.

POGNÉ (ÊTRE) : Être coincé ; avoir à négocier malgré soi avec quelqu'un, ou devoir composer à contrecœur avec une situation.

PONT D'ALUMINIUM : Premier pont au monde à avoir été construit à partir d'un alliage d'aluminium, il est beaucoup plus léger qu'un pont de même stature en acier. Le projet fut accepté en septembre 1948, et Maurice Duplessis présida à son inauguration le 16 juillet 1950. On note que, depuis, le pont n'a pas bougé d'un seul millimètre.

POULE (LA) : Jeu de cartes populaire dans la région du Saguenay-Lac-Saint-Jean.

POUSSER (EN pousser UNE) : Entonner une chanson, commencer à raconter une histoire, une aventure.

PULPE : Du mot anglais *pulp*, désigne la pâte de bois dans l'industrie des pâtes et papiers.

RANG DES BOBETTES : Comme il en existe dans plusieurs régions du Québec, c'est le lieu où les amoureux se rencontrent. Cette dénomination folklorique a, dans le même esprit, des synonymes tels que le *chemin des capotes*, le *rang des brassières*, le *rang des petites culottes*, etc.

R'GARD : Déformation de « regarde ». Se prononce avec un accent circonflexe sur le « a » et sans le « d ».

ROYAUME (LE) : Nom donné par Jacques Cartier à toute la région, à la suite des révélations de deux Indiens sur toutes les richesses qu'on pouvait y découvrir.

RUINE-BABINES : Harmonica.

PARTIR DES RUMEURS (DE COUCHETTE) : Lancer des rumeurs pas toujours fondées – entre autres, ici, sur de supposées aventures extraconjugales.

PRICE (WILLIAM) : Personnage réel (1789-1867) considéré comme un pilier central du développement du Saguenay. Homme d'affaires émérite, il fit sa fortune dans le commerce du bois.

SAGLAC : Nom abrégé du Saguenay-Lac-Saint-Jean.

SANS BON SENS : Qui dépasse l'entendement, qui n'a pas de sens ; incroyable, invraisemblable.

SCENER : Épier, observer ; vérifier quelque chose.

SHUK : Mot d'encouragement qui signifie « Va ! Continue ! » en langue ilnu. Se prononce chouk.

SNOREAU (ou MOYEN SNOREAU) : Individu espiègle, farceur ou effronté.

SOCIÉTÉ DES VINGT ET UN : Société de 21 actionnaires, qui au XIXe siècle, s'étaient regroupés afin d'exploiter les ressources du bois et de fonder les premières grandes scieries de la région, pour le compte de William Price (voir ce nom dans le glossaire).

TALLE : Concentration importante de plants de bleuets en un lieu.

TARTE « AU BLEUET » : Ben non, il n'y a pas de faute dans *tarte « au bleuet »* ! Lorsque la tarte provient du *Royaume*, où les bleuets sont tellement plus gros qu'ailleurs, qu'un seul suffirait pour faire une tarte…
(Voir p. 37 la recette de la « vraie » tarte aux bleuets.)

TIREUX DE ROCHES : Nom parfois donné aux habitants de Chicoutimi-Nord.

TIREZ-VOUS UNE BÛCHE : Prenez un siège, asseyez-vous.

TOURTIÈRE : Plat composé de viande et de pommes de terre, recouvert d'une abaisse de pâte.
(Voir p. 37 la recette de la tourtière spéciale à cette région.)

VENTE DE GARAGE : Synonyme de vide-grenier. Mise en vente, dans sa cour ou bien sur le trottoir devant chez soi, de toutes sortes d'objets qu'on n'utilise plus, pour des prix dérisoires mais avec le grand avantage de débarrasser la maison.

COLLECTION LE VENT QUI VENTE

Les Aventures de Néciphore
Îles-de-la-Madeleine

Les Aventures de Théophile
Saguenay-Lac-Saint-Jean

Les Aventures de Dagobert
Ville de Québec
(versions française et anglaise)

Les Aventures de Philémond
Charlevoix

www.leventquivente.com

LA ROUTE DES FROMAGERS DU LAC-SAINT-JEAN

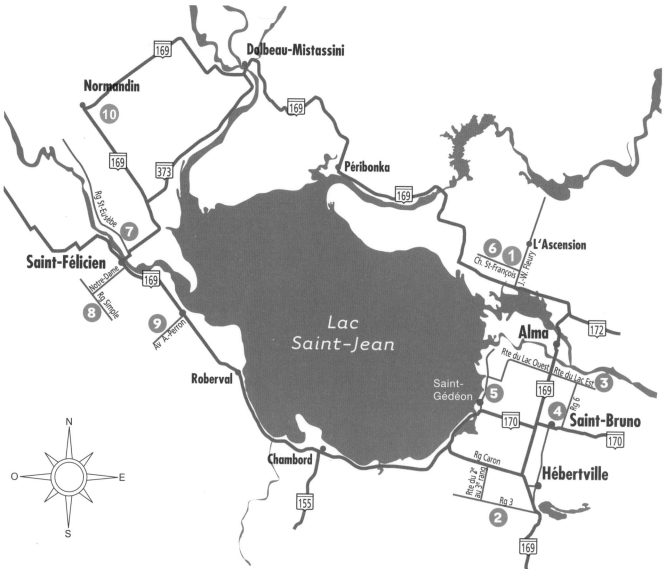

Le fin berger
6381, chemin Saint-François
Alma (Québec) G8E 1A3
Téléphone : (418) 347-1990
www.lefinberger.com

La Fromagerie l'Autre Versant
901, rang 3
Hébertville (Québec) G8N 1M6
Téléphone: (418) 344-1975

La Fromagerie Les Petits Bleuets
3785, route du Lac Est
Alma (Québec) G8B 5V2
Téléphone: (418) 662-1078
www.fromageriebleuet.com

Fromagerie la Normandinoise
554, rue Saint-Cyrille
Normandin (Québec) G8M 4H4
Téléphone: (418) 274-3465

La Fromagerie St-Laurent
735, Rang 6
Saint-Bruno (Québec) G0W 2L0
Téléphone: (418) 343-3655
Sans frais: 1-800-463-9141
www.fromageriest-laurent.com

La Fromagerie Médard
10, rue DeQuen
Saint-Gédéon (Québec) G0W 2P0
Téléphone: (418) 345-2407

La Fromagère Mistouk
6341, chemin Saint-François
Alma (Québec) G8E 1A3
Téléphone: (418) 347-1404

La Fromagerie Ferme des Chutes
2350, rang St-Eusèbe
Saint-Félicien (Québec) G8K 2N9
Téléphone: (418) 679-5609
www.fromagerie-des-chutes.qc.ca

La Fromagerie Aux pays des bleuets
805, rang Simple Sud
Saint-Félicien (Québec) G8K 2N8
Téléphone : (418) 679-2058

**La Fromagerie Perron et
le Musée du fromage cheddar**
148, avenue Albert-Perron
Saint-Prime (Québec) G8J 1L4
Téléphone: (418) 251-4922
Sans frais: 1-888-251-4922
www.museecheddar.org

D1074143